BRELIN
DE LA LUNE

Données de catalogage avant publication (Canada)

Kochka

Brelin de la lune
(Collection Plus)
Pour les jeunes de 9 ans et plus.
ISBN 2-89428-456-X

I. Titre.

PZ23.K62Br 2000 j843'.92 C00-940898-3

L'éditeur a tenu à respecter les particularités linguistiques des auteurs qui viennent de toutes les régions de la francophonie. Cette variété constitue une grande richesse pour la collection.

Directrice de collection : **Françoise Ligier**
Maquette de la couverture : **Marie-France Leroux**
Mise en page : **Lucie Coulombe**

Les Éditions Hurtubise HMH bénéficient du soutien financier des institutions suivantes pour leurs activités d'édition :

- Gouvernement du Canada par l'entremise du Programme d'aide au développement de l'industrie de l'édition (PADIÉ) ;
- Société de développement des entreprises culturelles au Québec (SODEC).

Éditions Hurtubise HMH ltée
1815, avenue De Lorimier
Montréal (Québec) H2K 3W6 CANADA
Téléphone : (514) 523-1523

ISBN 2-89428-456-X

Dépôt légal/3e trimestre 2000
Bibliothèque nationale du Québec
Bibliothèque nationale du Canada

Distribution en France : Librairie du Québec/DEQ

Imprimé au Canada

BRELIN DE LA LUNE

Kochka

illustré par
Anatoli Burcev

Collection Plus
dirigée par Françoise Ligier

KOCHKA est née au Liban. Elle y a vécu 13 ans. À cause de la guerre, elle s'est exilée à Paris où elle a fait des études pour être avocate. En 1998, elle quitte le barreau pour s'occuper de ses quatre enfants et tenter l'aventure de l'écriture.
Si vous lui demandez de parler d'elle, voici ce qu'elle répond : « Mon nom de plume est Kochka. En iranien, c'est le chat de gouttière, celui qui marche sur les toits. Si j'ai choisi de m'appeler comme ça, c'est pour ne jamais oublier que je suis libre avec seulement le ciel au-dessus de moi. Brelin, c'est mon fils aîné, qui s'appelle Matthieu dans la vraie vie. C'est un peu grâce à lui que j'écris. Il faut accepter les différences. Elles apportent une richesse immense. »
Après *La fille aux cheveux courts* (éditions Thierry Magnier), *Brelin de la lune* est son deuxième livre jeunesse.

Anatoli BURCEV a obtenu un diplôme de maîtrise en Arts à l'Université de Moscou, en Russie. Sa passion, c'est la peinture. « J'aime les peintres, dit-il, comme Léon Bakst, le décorateur des ballets russes de Diaghilev, j'aime aussi l'autrichien Gustav Klimt. » Les œuvres d'Anatoli ont été exposées aussi bien en Russie qu'en Hollande, en Pologne et en Allemagne. Anatoli a un grand souci du détail et de l'harmonie des couleurs, il travaille souvent au crayon et à l'aquarelle, avec un peu de gouache. Dans la collection Plus, il a illustré *L'Instant des louves*.

À Matthieu, à Julien et à tous
les enfants du monde,
voici l'histoire vraie de Brelin,
enfant magicien.

1

Un enfant de la lune

Balthazar et Noémie habitent au 4 de la rue des Roses avec leur fils Jérémie. À cette époque, Noémie est ronde comme une lune, mais pas encore complètement pleine. La maison est endormie quand, tout à coup, l'enfant décide de voir le jour. D'abord doucement, puis comme un enragé, il se met à frapper à la porte. Noémie comprend que le petit habitant veut sortir de son ventre. Elle réveille Balthazar. Vite ils sautent dans l'ascenseur. Il faut 53 secondes pour descendre les 11 étages. Mais le bébé est impatient et en bas, il est déjà là !

On appelle l'ambulance. Dans le véhicule qui les emmène à la maternité, Balthazar chuchote à l'oreille du petit homme : « Que penses-tu de t'appeler Brelin ? Cela ressemble au bruit d'un visiteur impatient qui appuie sur la sonnette : DRELIN ! DRELIN ! et qui entre sans attendre. » L'enfant sourit.

À la maternité, le médecin lave le nouveau-né. Tout en notant qu'il est parfait, il remarque au bas de son dos une petite marque discrète. On dirait un croissant de lune.

Noémie a la peau blanche. Celle de Balthazar est noire comme la terre. En toute logique, si on les mélange, on devrait obtenir des enfants de la couleur de l'écorce des arbres. Jérémie est bien ainsi,

mais pas Brelin. Brelin est pâle comme la lune et ses yeux ressemblent à deux bouts de ciel.

Noémie et Balthazar sont étonnés de ce qu'ils ont fabriqué. Chacun serre le petit homme sur son cœur.

On rentre à la maison de la rue des Roses et on installe Brelin dans un couffin. Drôle de bébé. Il dort peu, mais ne pleure jamais. Au-dessus de son berceau, on suspend un mobile d'oiseaux. Brelin est fasciné. Il ne bouge pas. On dirait qu'il libère les oiseaux pour qu'ils s'envolent dans le ciel de ses yeux. Ainsi passent toutes ses journées.

Puis Brelin se met à grandir. Chaque jour, il devient plus beau, plus pâle et plus différent. À 15 mois, il tourne sur lui-même comme une toupie. À deux ans, sans parler il écoute la musique des mots, leur invente des rythmes et les frappe dans ses mains. À trois ans, il raconte des choses que les autres ne comprennent pas, répond rarement quand on l'interroge et s'il le fait, ce n'est jamais à la question posée.

À la maison, il y a des jours de silence et des jours de tempête. Les jours de silence, Brelin disparaît. Il se cache dans des coins impossibles où, pendant des heures, il ordonne des petites choses semblables, des collections bizarres, par exemple des petites boules colorées de papier froissé. Les jours de grand bruit,

Brelin frappe sa musique sur le sol et sur les murs, et la maison devient tambour.

Ce n'est pas toujours facile à supporter et arrive un jour où Jérémie en a marre. Ce petit frère ne fait décidément rien comme tout le monde. Il ne joue pas, ne parle pas, leur casse les oreilles, fait mille bêtises et en plus, il n'est jamais puni ! Jérémie n'en veut plus.

Un soir, il convoque ses parents dans sa chambre et leur déclare qu'il veut partir. Il va vivre dans la rue d'à côté, chez grand-mère Sylvita. Ce n'est pas une crise d'adolescence, c'est seulement qu'il a besoin d'espace. Grand-mère Sylvita est d'accord. Elle connaît des histoires de sorciers et fait des gâteaux succulents.

— Demain, conclut donc Jérémie, je prépare ma valise.

2

Jérémie et Brelin

Le lendemain, Jérémie fait comme il a dit et il vide son placard. Brelin est justement installé sous les cintres et joue avec ses boules de papier. Jérémie le regarde.

— C'est pas que j't'aime pas, p'tit frère, mais t'es vraiment trop bizarre.

Brelin ne réagit pas. Puis Jérémie quitte le placard à moitié vide, s'approche de son ordinateur et commence à débrancher les fils. Là, Brelin se lève, s'agrippe à l'appareil et crie :

— Laisse-moi l'ordinateur !

C'est la première fois que Brelin exprime clairement une idée dans une phrase qui se tient. Jérémie va chercher Balthazar. Dans la chambre, Brelin, suspendu à la machine, répète inlassablement : « Laisse-moi l'ordinateur. Laisse-moi l'ordinateur. » Balthazar court chercher Noémie.

Le soir, on dépose Jérémie et sa valise chez Sylvita. L'ordinateur reste rue des Roses. Jérémie en aura un autre.

Cette nuit-là, Brelin déserte sa chambre, s'installe chez son frère et, à la lueur de la lune, il allume l'ordinateur. Le matin suivant, Noémie le trouve endormi sur le bureau. Sur l'écran un poème est écrit :

Au revoir lune
La lune s'en va. Au revoir lune.
L'air est froid. Au revoir l'air.
Les bruits de la terre n'ont pas la tête en l'air.
Au revoir les bruits de la terre...

Noémie n'en croit pas ses yeux. Brelin fait des phrases justes ! En plus, il sait lire et écrire, alors qu'il ne fréquente pas l'école à cause de sa différence. Et à la maison, personne ne lui a appris l'alphabet... Comment cela est-il possible ?

Balthazar refuse d'y croire. Sylvita se frotte les mains. Depuis la petite enfance de Brelin, elle répète que cet enfant est fou et, dans sa bouche de vieille femme africaine, ces mots sont pleins d'admiration. Les fous en Afrique sont des sorciers, des sages qui lisent des vérités dans les nuages et dans les plumes des oiseaux...

La nuit suivante, on laisse Brelin dans la chambre de son frère. Balthazar et Noémie l'observent par le trou de la serrure. Pendant une partie de la nuit, Brelin se tient sous la fenêtre à regarder la lune. Il l'aime tant qu'elle l'empêche de dormir. « Il faudrait pouvoir l'éteindre, mais seul le soleil le peut », dit Noémie.

Puis Brelin s'installe à l'ordinateur, en allume l'écran et se sert du clavier. Quand enfin il s'endort, son père rentre sur la pointe des pieds. L'écran affiche un deuxième poème :

Bonsoir lune
Dans la grande chambre verte il y a un tableau... de la vache sautant par-dessus la lune et une vieille dame murmurant « chut ».
Bonsoir lune
Bonsoir vache sautant par-dessus la lune
Bonsoir vieille dame murmurant « chut »

Maintenant, Balthazar ne peut plus refuser d'y croire. Son fils est bel et bien un magicien.

3

De la terre à la lune

Aujourd'hui, Brelin a huit ans et Jérémie vit toujours chez Sylvita dans la rue d'à côté. De temps en temps, il passe rue des Roses pour emmener son jeune frère dans le métro. C'est que Brelin adore le métro, qu'il connaît comme sa poche. Et c'est justement lors d'une de ces promenades qu'il remarque une publicité. Elle parle d'un parc d'attractions fabuleux où il y aurait une machine qui permettrait de rejoindre la lune ! Vraiment...

Sur-le-champ, dans sa tête, Brelin décide qu'il s'y rendra et, comme il lit très vite et qu'il retient tout, il mémorise l'adresse et l'itinéraire conseillé.

Pendant toute la semaine, il parle à la lune de sa venue prochaine. Le dimanche suivant, il sort sans rien dire. Personne ne le voit ouvrir la porte de l'appartement et prendre l'ascenseur. Quelques instants plus tard, il est dans le métro et, avec un sens de l'orientation inouï, il se dirige sans erreur et prend les bonnes correspondances.

À la maison, ses parents ne s'aperçoivent pas de son absence. Pour eux, c'est un jour de silence. Brelin se cache dans un placard...

Une heure plus tard, Brelin se tient devant l'entrée du parc. Bien sûr, il n'a pas de ticket, alors il se faufile sous le tourniquet. On le pense sans doute avec un papa ou une maman et personne ne l'arrête. Le voilà presque au bout de son voyage...

Il n'a plus qu'à trouver la machine incroyable.

Comme quand il était plus petit, il ouvre les bras et fait la toupie. Tout à coup, il la voit. Elle est là, au fond du parc.

Alors Brelin se met à courir aussi vite qu'il peut. Il court si fort qu'il devance tout le monde. Son cœur est fou. Il va partir pour la lune !

Il prend place dans la file et déjà ses pensées s'envolent. À son tour, il entre dans la machine. Le siège est comme une coque dans laquelle on se niche. Brelin enfile un casque lunaire et un gros couvercle transparent se rabat. Il se retrouve comme dans un œuf qui tout à coup s'ébranle et démarre. L'explosion est fantastique ! Brelin est propulsé à une vitesse étourdissante. Sa tête se plaque contre le siège. Il est emporté dans un monde plus noir que toutes les nuits noires qu'il a jamais connues.

Seul au monde, il sent que la lune se rapproche. Maintenant son cœur est calme. Soudain, l'engin s'arrête et une musique s'élève. Une musique comme le silence après la tempête. Brelin ouvre les yeux... Le train est juste sous la lune... Elle est ronde. Elle est belle. Elle a deux yeux paisibles et un sourire d'amour.

Le tour de manège terminé, Brelin redescend sur la terre, mais sa tête est restée dans la lune. Au sol, tout à son rêve, il referme les yeux et il se retrouve dans l'espace. Le couvercle de l'œuf se soulève.

Une musique l'enveloppe. Il se sent quitter son siège et s'envoler. Il entend la lune qui l'accueille et qui lui dit : « Je t'attendais. Sois le bienvenu, Brelin. » Il voit la lune qui ouvre la bouche et il s'y engouffre comme dans un toboggan. Le ventre de la lune est accueillant. Tendre et sucré comme une guimauve, chaud comme le sable blanc d'une plage au soleil, et doux comme l'herbe au début du printemps.

4

Brelin a disparu

Comme c'est l'heure de passer à table, Noémie et Balthazar cherchent Brelin. Ils retournent en vain les lits et les placards. Noémie est affolée. Balthazar tente de la calmer en criant plus fort qu'elle. Ils alertent les voisins, ameutent la rue, le quartier. Personne n'a vu Brelin. On appelle la police.

Noémie se noie dans les larmes. Balthazar a son air des jours graves. Seuls Jérémie et Sylvita se comportent normalement.

Dans son infinie sagesse, la vieille femme sait que le petit sorcier connaît son chemin.

Quant à Jérémie, il sait que son frère n'aime pas la nouveauté. Brelin répète toujours les mêmes choses et retourne toujours aux mêmes endroits. Il décide donc de refaire la promenade en métro qu'ils ont faite ensemble au début de la semaine. Il prend le tam-tam africain de Brelin et, sans rien dire, disparaît à son tour. Le voilà dans le métro, le tam-tam sur l'épaule et le p'tit frère dans le cœur.

Comme il l'a fait quelques jours plus tôt, Jérémie prend une correspondance à la station du Père-Lachaise et là, au détour d'un couloir, il se trouve nez à nez avec la publicité. Il est écrit en grosses lettres : «Voyagez de la terre à la lune !» Il se souvient maintenant : Brelin s'était arrêté là. Il comprend l'évidence : Brelin est allé sur la lune...

Jérémie fonce vers une cabine téléphonique et appelle à la maison : « Brelin est au parc d'attractions. Retrouvez-moi là-bas. » Et Jérémie part sur les traces de Brelin !

De leur côté, Noémie, Balthazar et Sylvita s'engouffrent dans une voiture.

Au parc, il y a un monde fou. On pourrait peut-être y trouver un géant, mais certainement pas un petit garçon. Ils vont voir le directeur du parc. En voyant les larmes dans les yeux de Noémie et les mains nouées de Balthazar, le directeur fait arrêter les musiques, prend le micro et lance un appel à tous.

— Message important ! Un enfant s'est perdu. Il s'appelle Brelin. Il a huit ans. Il a les cheveux châtains et sa peau est de couleur claire. C'est un enfant autiste qui ne parle pas beaucoup. Ses parents sont à l'accueil. Regardez autour de vous.

Les minutes s'écoulent, interminables. Noémie désespère. Pas de Brelin à l'horizon...

Le directeur est désolé parce que rien n'est plus triste qu'un enfant perdu. Noémie baisse les bras. On ne le retrouvera jamais. Le monde est trop plein de dangers. Mais Jérémie se fâche :

— Brelin n'est pas fou. Il se cache simplement quelque part. Donnez-moi un plan du parc !

5

Brelin, es-tu là ?

Brelin n'est pas comme tout le monde. Donc il faut le chercher de fa-çon particulière. Jérémie s'assoit dans un coin. Trois attractions tournent autour de la lune. Il les coche au stylo.

Direction, la première. Jules Verne, *De la terre à la lune*. Jérémie part comme une flèche et prend d'assaut la fusée. Il ne fait pas la queue et personne ne proteste. Vu les circonstances il est prioritaire ! Il bondit dans un œuf qui l'emporte dans l'espace et

la lune apparaît, belle à tomber par terre mais inaccessible, et l'œuf n'alunit pas. À l'arrivée, Jérémie interroge le machiniste. « Un garçon fou de la lune, vous avez dû le voir ? » Mais le machiniste secoue la tête. Jérémie insiste : « Si, un garçon avec des yeux pleins de rêves. » Le machiniste a beau chercher, il ne se souvient pas. Il accepte néanmoins de faire tourner la machine au ralenti. Jérémie inspecte chaque œuf, mais pas la moindre petite bouclette et pas d'yeux couleur du ciel.

C'est un coup d'épée dans l'eau, peu importe. Jérémie abandonne la fusée, emprunte un vélo et fonce à l'extrême sud du parc, là où le sol devient bizarre. Une voix énorme et mystérieuse retentit : « Explorez la face cachée de la lune. Ici il n'y a plus d'arbres. Tout n'est que cratères, cendre et désolation... »

« La Face cachée de la lune » est une attraction pour les enfants de un mètre à un mètre trente. C'est un parcours semé d'embûches, avec tunnels, fumée, sols mouvants et lave en fusion. Jérémie se contorsionne en disant des gros mots et fouille dans tous les recoins, surtout les plus petits. D'ailleurs, il n'en sort pas bredouille. Ce n'est pas Brelin mais là, quelque part tout au fond, traîne un doudou perdu. C'est un ours aux yeux jaunes. Jérémie le prend. « Où est-ce que tu t'es fourré, p'tit frère ? » Dehors une fillette saute de joie.

Maintenant, au tour du « Pierrot de la lune ». C'est sa dernière chance. Jérémie court à perdre haleine. L'attraction raconte l'histoire de Pierrot qui a perdu Colombine. Et la lune s'arrête de vivre parce que Pierrot est la moitié de Colombine. Alors la lune ne grossit plus, ne maigrit plus et la terre est toute chamboulée...

Jérémie pense que c'est comme lui avec Brelin. La vie n'est pas possible sans son p'tit frère. Il est parti vivre chez Sylvita,

c'est vrai, mais c'est pour mieux l'aimer quand il est avec lui. « Je vais te retrouver, Brelin. Je vais te retrouver. »

L'attraction affiche des questions, des indices, il faut trouver les bonnes réponses. Jérémie se concentre. Les portes s'ouvrent au fur et à mesure. Jérémie regarde partout. Colombine est derrière la dernière porte mais pas Brelin, et Jérémie s'effondre.

C'est quand on y croit vraiment que les choses arrivent. À travers sa tristesse, Jérémie voit la fillette qui pirouette avec son ours. Bon sang, c'est la façon de faire de Brelin ! Jérémie se met en position et tourne sur lui-même. Dans ce méli-mélo où tout se mélange, une seule chose émerge. C'est la fusée ! La fusée de Jules Verne ! Retour à la case départ. Sa première intuition était la bonne. Il s'élance avec un air si résolu que Noémie, Balthazar, Sylvita, le directeur du parc et plein de gens curieux se jettent à sa poursuite.

Tout ce monde court. Le machiniste est affolé. Il s'apprête à se justifier : « Je n'ai rien fait de mal, monsieur le Directeur... », quand Jérémie ordonne : « Monsieur, fermez l'attraction, s'il vous plaît ! » Le ton est si impératif que le machiniste s'exécute.

Cette fois-ci, Jérémie ne regarde plus en l'air. Il saute sur la voie, passe sous la fusée, et disparaît. Avant, il avait exploré le circuit et les œufs. Maintenant, il inspecte le sol et le fond du décor.

Brelin aime s'isoler et regarder les choses de loin. Quand il y a du monde, il est un peu sauvage et se tient en retrait.

Jérémie se retrouve donc par terre, en dessous du circuit, là où personne ne passe jamais, sauf les mécaniciens qui, tous les six mois, montent et démontent les manèges.

Les œufs les plus bas sont au moins à trois mètres au-dessus de lui. Il fait noir comme dans un four. Mais doucement ses

yeux s'habituent. Il enjambe des échafaudages, des bâches, et passe sous des échelles. Soudain, au détour d'un poteau, il aperçoit la lune. Elle luit tout là-haut. Ses rayons ondulent comme des cheveux bouclés. « Tu sais, toi, où il est », pense-t-il en regardant la dame. « Guide-moi, je t'en supplie. »

Est-ce le fruit de son imagination, mais soudain il semble à Jérémie que la lune brille plus fort. Elle jette au fond du décor un faisceau lumineux qui s'enfonce dans un coin. Jérémie suit des yeux ce reflet et tout à coup son regard s'arrête. Il y a une forme là-bas, par terre... Oui... On dirait une silhouette... Son cœur se serre et explose

en même temps. C'est le p'tit frère. Comme dans un cocon, il s'est enroulé dans les rayons lunaires. Dans cette pénombre, les yeux ne sont sûrs de rien, mais le cœur sait. Et en matière d'amour, le cœur ne se trompe pas.

Oui, Jérémie a bien compris : Brelin ne cherchait pas l'émotion, ni la vitesse. Il voulait seulement trouver la paix dans la douce clarté de la lune. Alors, et sans doute après avoir fait un tour de manège, il est resté au sol, tapi dans le décor, loin de la foule et invisible pour tous.

Les larmes de Jérémie inondent son visage. L'émotion l'étrangle. Il court dans les échafaudages... « Brelin ! Brelin ! » Mais Brelin n'entend pas. Brelin dort. Brelin rêve.

Alors Jérémie s'assoit sur le sol, le tam-tam entre les genoux, et se met à jouer. Il connaît la musique de Brelin et part dans ses rythmes endiablés. Ses mains appellent son frère. Il y met toute son âme.

À l'extérieur, Noémie réagit. Elle a compris. Brelin est quelque part par là et Jérémie tente de le faire venir. À son tour elle saute sur la voie. Elle court, guidée par

le son du tambour et mêle ses chants aux rythmes du tam-tam...

Brelin ouvre les yeux, retombe sur la terre et il se jette sur Noémie.

Table des matières

LE PLUS DE *Plus*

Réalisation :
Myriam Legault

Une idée de
Jean-Bernard Jobin
et Alfred Ouellet

Avant la lecture

Au clair de la lune

Pour chaque expression, trouve la bonne définition.

1. Marie est dans la lune.
   a. Marie est astronaute.
   b. Marie observe le ciel avec un télescope.
   c. Marie rêve les yeux ouverts.

2. Georges et Georgette sont en lune de miel.
   a. Ils sont au premier temps de leur mariage et sont très amoureux.
   b. Ils se sont fait piquer par une abeille.
   c. Ils mangent un petit gâteau sucré au miel.

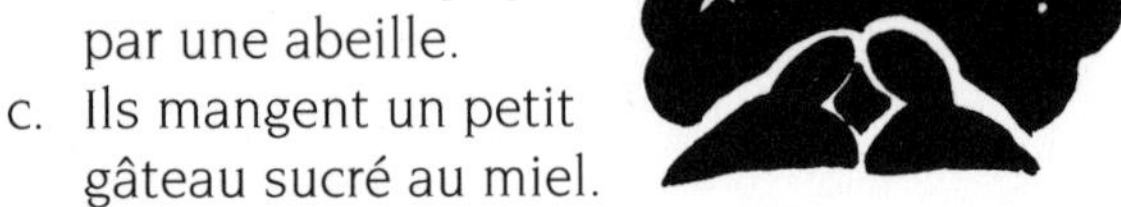

3. Ma cousine a une face de lune.
   a. Elle gagne toujours quand on joue à pile ou face.
   b. Elle a le visage très rond.
   c. Elle a un côté secret, une face cachée.

Pourquoi n'est-il pas comme son frère ?

Tu vas lire l'histoire d'un enfant qui a un comportement différent de celui de son grand frère et de celui de la majorité des autres enfants, car il est autiste. L'enfant autiste vit dans son propre monde et a souvent des problèmes à communiquer. Il est souvent replié sur lui-même et perd parfois contact avec le monde extérieur.

Parmi les cinq affirmations suivantes, trouve celle qui est fausse.

1. À la naissance, le bébé autiste a l'air physiquement normal.
2. L'enfant autiste peut avoir des comportements bizarres, il peut tourner sur lui-même ou frapper un objet de façon répétitive.
3. Souvent, l'enfant autiste parle plus tard que les autres enfants et s'invente parfois un langage bien à lui.
4. L'enfant autiste aime beaucoup jouer avec les autres et les regarde toujours bien droit dans les yeux.
5. L'enfant autiste a souvent des problèmes à dormir..

Un nom de plume

En lisant la biographie de l'auteure, tu vas apprendre qu'elle écrit sous un pseudonyme.

Le préfixe « pseudo » signifie faux.
Le suffixe « nyme » signifie nom.
Pseudo + nyme = faux nom.

Le pseudonyme d'un auteur est son nom de plume.

1. Quel est le nom de plume de l'auteure de *Brelin de la lune* ?
2. Que veut dire ce pseudonyme ?
3. Pourquoi l'auteure a-t-elle choisi ce pseudonyme ?

Kochka nous parle de son fils autiste

« Brelin, c'est mon fils, et c'est difficile d'avoir un enfant différent. C'est comme un enfant d'une autre planète dont on n'aurait pas le mode d'emploi. Dès sa rentrée à l'école, on a eu un problème. Il ne faisait rien comme tout le monde et ne pouvait pas vivre avec les autres. Les médecins ont parlé d'autisme. Depuis, il s'est révélé plein de ressources. Il a appris à lire tout seul, calcule très vite, trouve les notes justes sur un piano, retient tout et, quand il chante, sa voix est merveilleuse. Notre but : lui apprendre à vivre au mieux avec les autres, tout en acceptant ses différences. Aujourd'hui il rentre quand même en CM1* ! »

* Le CM1 en France correspond à la quatrième année du cours primaire au Québec.

Un brin de folie

Dans le texte, tu vas voir apparaître le terme **fou**. Tu découvriras que, dans certaines cultures, on respecte et on admire les fous pour les pouvoirs magiques que leur confèrent leurs différences. Complète chaque phrase avec l'une des expressions suivantes.

1. un temps **fou**
2. **fou** de rage
3. est **fou** de
4. le **fou** rire
5. un monde **fou**

a. Toute la classe a eu [...] en entendant le pantalon du professeur d'éducation physique se déchirer.

b. Il y avait [...] au cinéma le jour de la sortie du dernier film des *Dinosaures gluants*.

c. Le projet de sciences de cette semaine est très compliqué, ça m'a pris [...] pour le compléter !

d. Surtout ne lui dites pas qu'il danse comme un pied, ça le rend [...].

e. Maxime [...] musique, peut-être deviendra-t-il un grand chef d'orchestre ?

Au fil de la lecture

Es-tu un bon lecteur ?
Es-tu une bonne lectrice ?

Vérifie ta compréhension de l'histoire de Brelin en répondant aux questions suivantes, par vrai ou faux. Si tu as des hésitations, tu peux toujours retourner au texte.

VRAI ou FAUX

1. Jérémie et Brelin sont deux frères qui n'ont pas la même couleur de peau.
2. À la maison, tout est calme depuis la naissance de Brelin.
3. Jérémie déménage chez sa grand-mère parce qu'il n'aime pas son frère.
4. Brelin a appris à écrire tout seul, comme par magie.
5. À l'âge de huit ans, Brelin se perd dans le métro.
6. Jérémie pense que Brelin est au parc d'attractions parce qu'il sait que son petit frère aime beaucoup la vitesse des manèges.
7. Jérémie devine qu'il faut chercher son petit frère de façon particulière parce qu'il sait que Brelin ne pense pas et n'agit pas comme tout le monde.

Mettre de l'ordre

L'auteure a divisé son récit en cinq chapitres. Associe la phrase de la colonne de droite avec le titre de la colonne de gauche qui résume le mieux l'action de chaque chapitre.

1. Chapitre 1 : Un enfant de la lune
2. Chapitre 2 : Jérémie et Brelin
3. Chapitre 3 : De la terre à la lune
4. Chapitre 4 : Brelin a disparu
5. Chapitre 5 : Brelin, es-tu là ?

a. Brelin part pour réaliser un rêve.
b. La naissance d'un enfant pas comme les autres.
c. Jérémie retrouve son frère.
d. Jérémie quitte la maison et Brelin manifeste des talents d'écriture.
e. Jérémie part à la recherche de Brelin.

Être différent

Retrouve parmi les comportements suivants, ceux qui ont permis à la famille de Brelin de comprendre qu'il était un enfant différent.

1. **Au-dessus de son lit de bébé, on suspend un mobile d'oiseaux.**
   a. Brelin ne bouge pas et semble libérer les oiseaux.
   b. Brelin rit beaucoup et veut attraper les oiseaux.
   c. Brelin veut chanter comme les oiseaux.

2. **À trois ans, Brelin commence :**
   a. à parler et à jouer avec son frère Jérémie.
   b. à jouer du piano.
   c. à raconter des choses que les autres ne comprennent pas.

3. **Brelin a appris à se servir de l'ordinateur :**
   a. même s'il ne fréquente pas l'école à cause de sa différence.
   b. grâce à la patience de sa grand-mère Sylvita.
   c. grâce aux leçons d'informatique du Père Lachaise.

Méli-mélo

Trouve la réponse en démêlant le méli-mélo de lettres.

1. Bruit que fait la sonnette : **lindre**
2. Synonyme de délicieux : **cusuclent**
3. Un enfant qui fait un mauvais coup fait une : **setibê**
4. Personne qui fait de la magie : **cimanegi**
5. Moyen de transport sous-terrain : **térom**
6. Sort vraiment de l'ordinaire : **ouïin**
7. Jouet que l'on fait tourner sur la pointe : **pietou**
8. Enfant qui vit dans son propre monde : **tausite**
9. Au parc d'attractions, on fait un tour de : **nègema**

Après la lecture

Jules Verne, *De la Terre à la Lune*

Jules Verne (1828-1905) est un écrivain français qui a écrit pour les jeunes et a été un précurseur du roman de science-fiction. Voici cinq titres tirés de son œuvre :

Cinq Semaines en ballon (1863)
Voyage au centre de la Terre (1864)
De la Terre à la Lune (1865)
Vingt Mille Lieues sous les mers (1870)
Le Tour du monde en quatre-vingts jours (1873)

1. D'après toi, comment Jules Verne a-t-il intitulé sa série ?
   a. Voyages en avion
   b. Voyages à l'étranger
   c. Voyages extraordinaires
   d. Voyages d'affaires

Pierrot de la lune

La commedia dell'arte ou comédie italienne est une forme de théâtre comique qu'on a beaucoup jouée en Europe du XVIe au XVIIIe siècle. Les intrigues changent, mais on retrouve souvent les mêmes personnages. En voici quelques-uns.
Lis la description de chacun et choisis la lettre du costume qui lui correspond.

1. **Pierrot** : un rêveur lunaire, souvent simple d'esprit, à l'air triste. Il est tout habillé de blanc et son visage est enfariné.
2. **Colombine** : une jeune fille de famille bourgeoise ou une jeune servante coquette à l'esprit vif. Elle est souvent amoureuse.
3. **Pantalon** : vieux bourgeois coquin et avare. Il porte toujours des culottes longues, d'où son nom.
4. **Arlequin** : domestique bouffon mais plutôt malin. Il porte un habit composé de petits triangles de toutes les couleurs.

a.

b.

c.

d.

Le parc d'attractions

Relie chacune des définitions ci-dessous à l'image correspondante.

1. **Les montagnes russes** : attraction constituée de montées et de descentes très rapides.
2. **Les autos tamponneuses** : petites autos électriques qui s'entrechoquent à l'intérieur d'une piste.
3. **La grande roue** : manège en forme de roue dressée, en haut de laquelle on a une très belle vue.

Charade

Mon premier est le poil qui pousse au menton des hommes.

Mon deuxième est la première lettre de l'alphabet.

Mon troisième est un autre nom pour « père ».

Mon tout est une délicieuse friandise de filaments de sucre enroulés sur un bâtonnet.

Qui suis-je ?

Solutions

Avant la lecture

Au clair de la lune
1. c; 2. a; 3. b.

Pourquoi n'est-il pas comme son frère?
4. faux

Un nom de plume
1. Kochka; 2. chat de gouttière; 3. pour ne jamais oublier qu'elle est libre.

Un brin de folie
1. c; 2. d; 3. e; 4. a; 5. b.

Au fil de la lecture

Es-tu un bon lecteur? Es-tu une bonne lectrice?
1. vrai; 2. faux; 3. faux; 4. vrai; 5. faux; 6. faux; 7. vrai.

Mettre de l'ordre
1. b; 2. d; 3. a; 4. e; 5. c.

Être différent
1. a; 2. c; 3. a.

Méli-mélo
1. drelin; 2. succulent; 3. bêtise; 4. magicien; 5. métro; 6. inouï; 7. toupie; 8. autiste; 9. manège.

Après la lecture

Jules Verne, *De la Terre à la Lune*
1. c.

Pierrot de la lune
1. b; 2. c; 3. d; 4. a.

Le parc d'attractions
1. b; 2. c; 3. a.

Charade
Barbe à papa

Dans la même collection

Premier niveau

- **Aline et le grand Marcel**
  Christiane Duchesne
- **Les Amours d'Anatole**
  Marie-Andrée Boucher Mativat
- **Anatole, le vampire**
  Marie-Andrée Boucher et Daniel Mativat
- **L'Araignée souriante**
  Laurent Chabin
- **Chats qui riment et rimes à chats**
  Pierre Coran
- **Chèvres et Loups**
  Lisa Carducci
- **Le Cosmonaute oublié**
  Marie-Andrée et Daniel Mativat
- **Le Dossier vert**
  Carmen Marois
- **L'Écureuil et le Cochon**
  Micheline Coulibaly
- **Elsie, la chèvre orgueilleuse**
  Louise Perrault
- **L'Escale**
  Monique Ponty
- **L'Étoile de l'an 2000**
  Nicole M.-Boisvert
- **Le Fantôme du rocker**
  Marie-Andrée et Daniel Mativat
- **L'homme qui venait de la mer***
  Robert Soulières
- **Lili et Moi**
  Claudie Stanké
- **Ma voisine, une sorcière**
  Jeannine Bouchard-Baronian
- **Mes vacances avec Lili**
  Claudie Stanké
- **La Peur de ma vie**
  Paul de Grosbois
- **Le Roi gris**
  Mireille Brémond
- **Les Trois Souhaits**
  Marie-Thérèse Rouïl
- **Ulysse qui voulait voir Paris**
  Monique Ponty
- **Une histoire de Valentin**
  Nicole M.-Boisvert
- **Une journée à la mer**
  Marie Denis

■ **Le Bonnet bleu**
Christiane Duchesne

■ **Calembredaine**
Anne Silvestre

■ **Jonas, le requin rose**
Yvon Mauffret

■ **Kouka**
Missa Hébié

■ **Manuel aux yeux d'or**
Isabelle Cadoré Lavina

■ **Le Mendigot**
Fatima Gallaire

■ **Le Monde au bout des doigts**
Marie Dufeutrel

■ **La Montaison**
Michel Noël

■ **Les moutons disent non !**
Johanne Barrette

- Le Papillon des neiges
  Angèle Delaunois
- Rose la rebelle
  Denise Nadeau
- Sonson et le Volcan
  Raymond Relouzat
- Les Souliers magiques
  Christine Bonenfant
- Un prétendant valeureux
  Georges Ngal
- Viva Diabolo !*
  Monique Ponty
- Zoé et les Petits Diables
  Sylvain Trudel

Deuxième niveau

- **Aventure à Ottawa**
  Doumbi Fakoly
- **Le Cyclone Marilyn**
  Gisèle Pineau
- **Espaces dans le temps**
  Janine Idrac
- **Le Homard voyageur**
  Cécile Gagnon
- **L'Inconnue du bateau fantôme**
  Colette Rodriguez
- **Meurtre en miroir**
  Irina Drozd
- **Le Monstre de Saint-Pierre**
  Nelly et Jean-Pierre Martin
- **La Mouette**
  Irina Drozd
- **Le Noël de Maïté**
  Marie-Célie Agnant
- **Père Noël cherche emploi**
  Johanne Barrette
- **Sortie de nuit**
  Cécile Gagnon
- **Trafic de tortues**
  Jean-Pierre Martin
- **Un compagnon pour Elvira**
  Cécile Gagnon
- **Une barbe en or***
  Cécile Gagnon
- **Zigzag le zèbre**
  Paul-Claude Delisle
- **L'Almanach ensorcelé**
  Marc Porret
  suivi de
  L'Espace d'une vengeance
  Véronique Lord
- **L'Auberge du fantôme bavard**
  Susanne Julien
- **Brelin de la lune**
  Kochka
- **CH. M. 250 K**
  Nicole Vidal
- **La Chienne aztèque**
  Louise Malette
- **Le Cœur entre les dents**
  Monique Ponty
- **La Fresque aux trois démons**
  Daniel Sernine
- **Le Galop du Templier***
  Anne-Marie Pol
- **Herménégilde l'Acadien**
  Alain Raimbault
- **L'Instant des louves**
  Gudule
- **Mamie Blues**
  Grégoire Horveno
- **La Nuit mouvementée de Rachel**
  Marie-Andrée Clermont

- ■ **Télé-rencontre**
  Francine Pelletier
- ■ **Une voix dans la nuit**
  Marie Angèle Kingué
- ■ **Une vraie famille**
  Irina Drozd
- ■ **Le Vieil Homme et le Petit Garnement**
  Caya Makhele

Troisième niveau

- • **Crinière au vent** ***Poésies du Canada francophone***
  Marcel Olscamp
- • **La Forêt de métal**
  Francine Pelletier
- • **M'en aller**
  Claude Rose et
  Lucien-Guy Touati
- • **La Parole nomade** ***Poésies francophones***
  Bernard Magnier
- • **La Rose des sables**
  Nadia Ghalem
- • **Le Sourire de la dame de l'image**
  suivi de
  Le Secret des pivoines
  Madeleine Gagnon *et de*
  Les Deux Maisons
  Esther Rochon
- • **Un matin pour Loubène***
  Pius Ngandu Nkashama
- ■ **Les 80 Palmiers d'Abbar Ben Badis**
  Jean Coué
- ■ **Le Baiser des étoiles**
  Jean-François Somain
- ■ **La Chambre noire du bonheur**
  Marguerite Andersen
- ■ **Le Chant de la montagne**
  Fatima Gallaire
- ■ **Enfance, enfance**
  Rabah Belamri *suivi de*
  Le Locataire
  Elsa Mazigi *et de*
  Les Enfants du lac Tana
  Pius Ngandu Nkashama
- ■ **L'Homme du Saint-Bernard**
  Monique Ponty
- ■ **Portraits de famille***
  Tiziana Beccarelli-Saad
- ■ **Poursuite...**
  Marie-Andrée Clermont

• **Niveau facile**
■ **Niveau intermédiaire**

* Texte également enregistré sur cassette.